Este libro pertenece a:

_____

Traducción al español: Anna Coll-Vinent
© 2002, Editorial Corimbo por la edición en español
Ronda General Mitre 95, 08022 Barcelona
e-mail: corimbo@corimbo.es
www.corimbo.es
1ª edición, julio 2002
© 2000, l'école des loisirs, París
Título de la edición original: «Coucou»
Impreso en Italia por Grafiche AZ, Verona

¡Cu cu!

Texto e ilustraciones de Jeanne Ashbé

Editorial Corimbo
Barcelona

¿Quién se esconde
debajo
de la toalla?

¡Cu cu, papá!
¡Soy tu bebé!

¿Quién se esconde
debajo
del cojín?

¡Cu cu!
¡Aquí estoy!

¿Quién se esconde
detrás
del babero?

¡Cu cu, mamá!
¡Soy yo!

¿Quién se esconde
detrás
del sillón?

¡Cu cu, gatito!
Estoy aquí.

¿Quién se esconde
debajo de esa enorme
caja de cartón?

¡Cu cu!
Te he encontrado.

¿Quién se esconde
debajo
del edredón?

¡Cu cu!
¡Somos nosotros!